À PROPOS DU SCEPTRE D'OTTOKAR

Voici une préface dont la lecture
vous apprendra plein de choses
sur cette palpitante aventure
de Tintin.

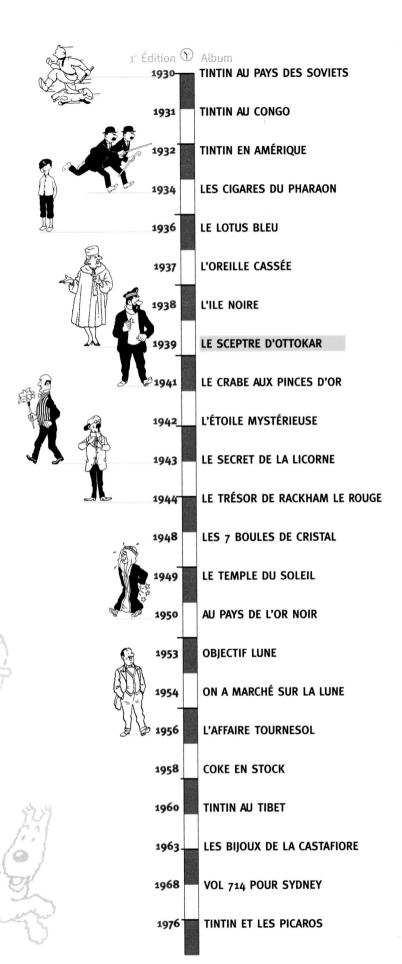

Créé en 1929
par un certain
Georges Remi,
qui signait d'ores
et déjà ses dessins
du nom d'Hergé,
Tintin connaîtra
vingt-trois aventures
dont, jusqu'à présent,
le succès auprès des
jeunes de 7 à 77 ans
ne s'est jamais
démenti.

1ᵉ Édition ① Album

Année	Titre
1930	TINTIN AU PAYS DES SOVIETS
1931	TINTIN AU CONGO
1932	TINTIN EN AMÉRIQUE
1934	LES CIGARES DU PHARAON
1936	LE LOTUS BLEU
1937	L'OREILLE CASSÉE
1938	L'ILE NOIRE
1939	LE SCEPTRE D'OTTOKAR
1941	LE CRABE AUX PINCES D'OR
1942	L'ÉTOILE MYSTÉRIEUSE
1943	LE SECRET DE LA LICORNE
1944	LE TRÉSOR DE RACKHAM LE ROUGE
1948	LES 7 BOULES DE CRISTAL
1949	LE TEMPLE DU SOLEIL
1950	AU PAYS DE L'OR NOIR
1953	OBJECTIF LUNE
1954	ON A MARCHÉ SUR LA LUNE
1956	L'AFFAIRE TOURNESOL
1958	COKE EN STOCK
1960	TINTIN AU TIBET
1963	LES BIJOUX DE LA CASTAFIORE
1968	VOL 714 POUR SYDNEY
1976	TINTIN ET LES PICAROS

Si vous voulez en savoir plus **http ://www.tintin.be**

Un penchant pour la perfection

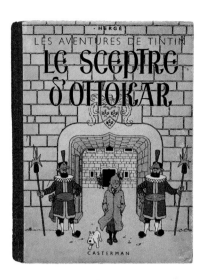

La couverture du *Sceptre d'Ottokar* reproduite ci-dessous mérite toute votre attention. C'est en effet une "version 1942" remaniée par Hergé lui-même! Il vous suffira de la comparer avec celle figurant en médaillon pour réaliser à quel point, grâce au parchemin dans lequel Hergé l'a disposé, le titre saute littéralement aux yeux. Un détail, ce parchemin? Pas vraiment ...

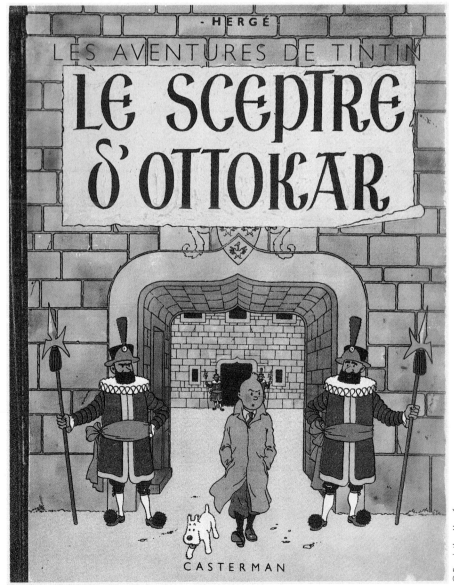

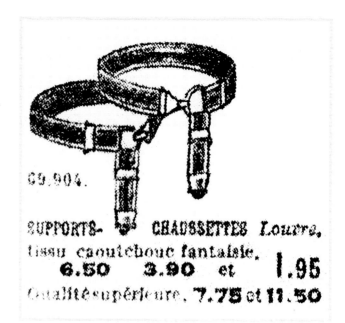

Du neuf
sur les Dupondt

Les fixe-Dupondt des chaussettes... Pardon! Les fixe-chaussettes des Dupondt constituent assurément les éléments les moins connus de la panoplie vestimentaire des deux détectives. À vrai dire, ces accessoires tombés aujourd'hui en désuétude n'apparaissent qu'à une seule et unique occasion : lorsque, mis en lambeaux par l'explosion d'une bombe, les pantalons des Dupondt laissent découvrir le bas de leurs jambes.

"Avec plaisirskaïa!"

Ne cherchez pas la Syldavie sur la carte: elle ne s'y trouve pas. Hergé a inventé ce petit royaume pour les besoins de son récit et, comme vous le constaterez en lisant la brochure que consulte Tintin, lui a forgé une histoire et même une langue. Issu du patois bruxellois, dont il intègre les composantes française et néerlandaise, le Syldave fait de nombreux emprunts aux langues slaves. C'est ainsi que, par exemple, "gendarmerie" se dit "gendarmaskaïa". Facile, non?

KLOW. — Garde du Trésor Royal.

Type de pêcheur des environs de Dörnouk (côte sud de Syldavie).

← Paysanne syldave se rendant au marché.

Une vue de Niedzdrow, → dans la vallée du Wladir.

La diva et le Securit

La première rencontre entre Tintin et Bianca Castafiore ne se passe pas vraiment bien. Voyez plutôt! N'ayant pu, au cours de la prestation de la diva italienne, qu'apprécier la solidité des glaces *Securit* qui équipent la voiture dans laquelle il est monté, Tintin trouve le premier prétexte venu pour en descendre. Voilà une réaction qui serait assez anodine si, comme le déclara un jour Hergé, il n'y avait eu à l'origine du personnage de Bianca Castafiore une cantatrice en herbe dont, au cours de sa prime jeunesse, les vocalises l'avaient terrorisé.

Sous les yeux d'Hergé

De même qu'Hitchcock se plaisait à apparaître dans ses films, Hergé prenait plaisir à se représenter dans ses bandes dessinées. Toutefois, à la différence du maître du suspense, le maître de la ligne claire n'en fit jamais une habitude. Dans *Le Sceptre d'Ottokar*, Hergé s'est mis en scène à deux reprises. Il figure d'abord parmi les témoins de l'arrestation de Tintin par les gardes royaux et, ensuite, parmi les hauts dignitaires devant lesquels Tintin s'avance pour se voir décerner l'ordre du Pélican d'Or par le roi Muskar XII. C'est en page 59, dans la grande case. Cherchez bien : Hergé est sur la droite.

Une voiture royale

Le saviez-vous? La voiture du roi Muskar XII, par laquelle Tintin se fait renverser, est une *Packard*. Selon certaines sources, ce superbe coupé modèle 1937 qui mesure quelque cinq mètres de long et pèse plus d'une tonne et demie, aurait figuré dans le parc automobile de la Cour royale de Belgique. Les Dupondt se renseignent à ce propos. Mais botus et mouche cousue!

dossier : Bernard Tordeur • maquette : studio Moulinsart

- HERGÉ -

LES AVENTURES DE TINTIN

LE SCEPTRE D'OTTOKAR

eih bennek eih blåvek

CASTERMAN

Imprimé par Casterman pour Total
avec l'autorisation de Moulinsart

ISBN 2-203-99269-7

LE SCEPTRE D'OTTOKAR

Nous allons nous asseoir un instant sur ce banc.

Tiens, tiens, quelqu'un a oublié sa serviette...

Et personne dans les environs?...

Si je l'ouvrais?... J'y trouverai sans doute l'adresse de son propriétaire...

Ah! voilà!... "Nestor Halambique, 24, rue du Vol à Voile".

C'est à deux pas. Je vais la rappor‒ ter...

Tu as tort, Tintin!... Tu sais que ça ne te réussit jamais, de t'occuper des affaires des autres.

RUE DU VOL A VOILE

Le professeur Halambique?...Au troisième, première porte à droite...

24

TOC TOC TOC

Entrez!

C'est l'un des rares sceaux de ce pays que l'on connaisse. Mais il doit y en avoir d'autres. Je vais d'ailleurs partir pour la Syldavie, où je pourrai étudier la question sur place.

L'ambassadeur de Syldavie, un de mes bons amis, m'a promis des lettres d'introduction qui me permettront, je l'espère, de compulser les vieilles archives du royaume. Une cigarette?...

Non, merci... Et quand partez-vous?...

Aussitôt que j'aurai trouvé un secrétaire. Secrétaire n'est d'ailleurs pas tout à fait le mot exact. Ce que je désire, c'est quelqu'un qui s'occupe de tous les détails matériels du voyage: horaires, hôtels, passeports, bagages, etc...

Mais je vois que, vous aussi, vous vous intéressez à la sigillographie. Voulez-vous me donner votre nom et votre adresse? Je vous ferai parvenir ma brochure "Comment on devient sigillographe".

Vous êtes vraiment trop ai-mable...

Il s'en va... Vite! arrange-toi pour le rencontrer dans l'escalier...

Le voilà!... Attention!...

CLIC

Drôle d'endroit pour régler sa montre...

Voilà, c'est fait... Epatant, ce petit appareil photographique dissimulé dans une montre...

Donne..

Nous allons tout de suite développer la photo...

!?

C'est bien?...

Sapristi! j'ai oublié mon livre chez le professeur Halambique!...

Bah! nous savons tout de même qu'il se nomme Tintin...

2E ÉTAGE

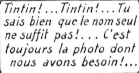

Tintin!...Tintin!...Tu sais bien que le nom seul ne suffit pas!... C'est toujours la photo dont nous avons besoin!...

Et puis, j'en ai assez!... Je m'en vais!...Si on a besoin de moi, je suis au "KLOW"!... Salut!...

Salut!..

24

Tout cela me semble bien mystérieux ...Suivons-le...

- KLOW -

RESTAURANT SYLDAVE

Tiens, tiens!... "Restaurant syldave"...De plus en plus curieux...

Entrons!...

Ah?...Où est-il passé?...

Tiens, un client!...

L'addition, je vous prie...

Tout de suite, Monsieur...

?

·KLOW·
RESTAURANT SYLDAVE
38, RUE DES ECUREUILS,
PROP: J. KROÏSZVITCH

1 Szlaszek dans. 7.10
1 Szpääd   2.50
             10.--
Service 10%   1.--
             11.--

QUI S'OCCUPE DES AFFAIRES D'AUTRUI
S'EXPOSE A DE GRAVES ENNUIS.
(PROVERBE SYLDAVE)

Que signifie cette phrase?

Quelle phrase?...Ah!oui, Monsieur ne connait pas la vieille coutume syldave?...Dans les restaurants de mon pays, les notes portent toujours un proverbe ou une courte maxime...

Ah, vraiment?...

Oui, Monsieur...Jolie coutume, n'est-il pas vrai?...Merci, c'est juste...J'espère que Monsieur a bien dîné?...

Très bien, merci. Votre "szlaszeck" était excellent. Comment est-ce préparé?

Ah! Monsieur, c'est une spécialité de la maison: du gigot de jeune chien accommodé à la sauce syldave...

MILOU!...

MILOU!... MILOU!...

?

Ah! te voilà!... Où donc étais-tu caché?...

Au plaisir de vous revoir...

Ah!ah!ah! je crois bien qu'on ne le reverra pas de sitôt!...

CUISINE

6

Grands dieux !...

Bizarre !...Bizarre, tout cela...

HIC

HIC

Quelques instants plus tard...

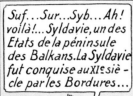

Suf...Sur...Syb...Ah! voilà !...Syldavie, un des Etats de la péninsule des Balkans. La Syldavie fut conquise au XIᵉ siè-cle par les Bordures...

DRRRING
DRRRING
DRRRING

Allo ?...Oui, c'est moi...Oui, moi-même...Je...A qui ai-je l'hon-neur de parler ?...Comment ?... Vous me le direz tout à l'heure ?... Si je puis vous recevoir ?... A quel sujet ?...Ah ?...Bien...Bien... Vers huit heures et demie ?...En-tendu, je vous attends... Bonjour, Monsieur...

Un homme à l'accent étranger qui a des choses très im-por-tantes à me dire...

HIC

En 1275, le peuple syldave se souleva contre les Bordures et, en 1277, le baron Almaszout, l'âme de la révolte, fut procla-mé roi. Il régna sous le nom d'Ottokar Iᵉʳ, lequel ne doit pas être confondu avec Ottokar Iᵉʳ (Przemysl) Duc et Roi de Bo-hème au XIIᵉ siècle...

HIC

Huit heures vingt cinq... Il ne tardera plus, mon mystérieux étranger...

TINTIN

RRRING

HIC

?

Vous avez une curieuse façon de recevoir les gens!...Oh!Que vois-je?...

?

Aidez-moi à le transporter sur le divan, voulez-vous?

Il...il est mort?

Mais enfin, que s'est-il passé?...

Non, il vit : son cœur bat...

Ce qui s'est passé?...Eh bien!voici...Il y a une heure environ, cet homme me téléphone et me demande de le recevoir. J'accepte. A huit heures et demie, on sonne. J'ouvre la porte et, avant d'avoir pu prononcer un seul mot, ce malheureux s'écroule à mes pieds...

Hem!...

Vous dites qu'il n'a pas prononcé un seul mot?...Dans ce cas, comment pouvez-vous affirmer que c'est bien cet homme-là qui vous a téléphoné?...

Je n'affirme rien, mais tout me porte à croire que...

Et que signifient ces traces de lutte?...

Des traces de lutte,en effet!...De la lutte que j'ai dû soutenir contre cette fenêtre,que je ne parvenais pas à ouvrir!...Et puis,quoi? vous n'allez tout de même pas prétendre que c'est moi qui ai assommé cet homme?...

Je ne dis pas cela, mais..

Pardon, Messieurs...

Puis-je vous demander ce que je fais ici? ...

Il me semble, Monsieur, que ce serait plutôt à moi de vous poser cette question...

Et d'abord, pouvez-vous nous donner le signalement de votre agresseur?...

Mon agresseur?... Quel agresseur?...

Mon ami, je vous conseille de ne pas vous moquer de nous!... Et pour commencer,quel est votre nom?

Je...Voyons...Mais c'est extraordinaire....Je...je...Impossible de m'en souvenir!...

9

Une dernière fois, mon gaillard, je vous conseille de ne pas vous payer notre tête!...Votre nom?...

Oui, votre nom!...Et plus vite que ça!...

Et si cet homme était sincère?...S'il était tout simplement frappé d'amnésie?...

Qu'est-ce que l'amnistie vient faire dans cette his-toire?...

Amnésie!...Il aura probablement reçu un choc violent qui lui aura fait perdre la mémoire! Cela se voit tous les jours. A votre place, je le conduirais à l'hôpital et je le ferais examiner par un médecin...

Hem!...Qu'en penses-tu?...

Hem!...On pourrait essayer...

Tintin a beau dire, ça me semble peu croyable, cette affaire d'armistice...

Bizarre...Bizarre...J'ai beau réfléchir, je ne comprends absolument rien à cette histoire...

En attendant, il s'agit de faire remplacer cette vitre...

Allo?...Le vitrier?... Pouvez-vous venir remplacer un carreau?...Oui ...Tintin...Vous passerez encore ce soir? ...Parfait!...

RRRRRING

Ah, c'est vous?...Entrez...

Merci...

Voilà...

Bonsoir, Monsieur Tintin. Et toujours à votre service!...

A mon service?...Le plus tard possible, j'espère...

DZINNG

Personne... La rue est déserte...

Ah! il y a un billet attaché à cette pierre...

Une dernière fois, mêlez-vous de vos affaires...

"Une dernière fois", autrement dit, "nous vous avons déjà mis en garde"... Quand cela?... Parbleu! c'est au "Klow" que cet avertissement m'a été donné!... Il y a donc du Syldave là-dessous... Une idée!... Si j'acceptais de devenir le secrétaire du professeur et de l'accompagner en Syldavie?...

Le lendemain...

Ça va mal!... Ce petit Tintin est allé ce matin chez le professeur Halambique. Il a accepté de l'accompagner en Syldavie en qualité de secrétaire!... En ce moment, il doit s'occuper de son passeport. S'il part avec le professeur, notre plan échouera, c'est sûr!...

Dans ce cas, laissez-moi faire: je vous garantis que Tintin ne partira pas!...

Quelques heures plus tard...

Monsieur Tintin?... Il est sorti.

Qu'y a-t-il, mon petit?

C'est un paquet pour M. Tintin, Madame.

Donnez-moi cela. Nous attendrons Tintin chez lui et nous le lui remettrons nous-mêmes...

Mais...

Il n'y a pas de mais: Police!...

Dis donc, il y a une lettre jointe à ce paquet... Si nous l'ouvri-ons   ?..

"Si vous voulez avoir l'explication des évènements d'hier, vous la trouverez dans ce paquet. Un ami..."

Parfait!... Nous avons eu la main heureuse!... Nous allons apprendre des choses intéressantes...

Il y a deux hommes qui vous attendent chez vous. Ils m'ont dit qu'ils étaient de la po-lice...

Ah?...Bien!...

Je me demande ce qu'ils ont à me dire...

BOUM

!?

Ça y est!...

BOUM

?

Qu'avez-vous fait?...Que s'est-il passé?...

Euh...Il y avait un paquet pour vous...

...et une lettre...La voici: lisez-la... Nous avons ouvert le paquet. Nous avons entendu "pchutt" et nous avons eu tout juste le temps de le jeter loin de nous, sans quoi il aurait fait explosion dans nos mains!...

Approchons: mêlons-nous aux cu - rieux...

Une machine infernale!... Les scélérats!... Ils voulaient me tuer!...

!?

Vite! descendons!...Ils sont là, ceux qui ont fait le coup!...

Dépêchons-nous!...

Les voilà!...

Lui!...

Fais vite!... Mets le moteur en marche!... Moi, je les tiendrai en respect!...

Attention!...

Passez-moi une arme...

PAN

Trop tard!... Ils sont partis!...

Là, une moto!... Nous allons les poursuivre!...

Allez-y! nous sommes prêts!...

Je dirais même plus: nous sommes prêts!...

All right!...

Surtout, tenez-vous bien!...

Il est seul!...Nous le tenons!...Laissons-le petit à petit se rapprocher de nous...

Nous gagnons du terrain!...

Hardi! nous les tenons!...

Et maintenant, un solide coup de frein...Hop!...

!?

Je crois que, cette fois, nous sommes débarrassés de lui pour longtemps...

Et Milou?...Et les autres?...
Que sont-ils devenus?...

Mais ma parole, on dirait...Mais oui,
les voilà!...D'où sortent-ils?...

Vous avez démarré si brusquement que...
que nous n'avons pas pu vous suivre. Alors,
nous avons réquisitionné cette voiture.
Nous continuons la poursuite?...

Inutile: ils ont pris
trop d'avance...

Je vous quitte. Je m'en vais, sans
tarder, préparer mes bagages.
C'est demain que je prends l'avion
pour la Syldavie.

DRRRING
DRRRING
DRRRING
DRRRING

DRRRING

Allo?...Oui...Ah! bonsoir,
Monsieur le professeur...Oui,
tout est prêt pour notre départ...Oui, j'ai pris les bil-
lets d'avion pour Klow...
Demain matin, à onze heu-
res, à l'aérogare...

Nous passons par Prague,
oui... Alors, à demain,
Monsieur le professeur?...
Oui...Bonsoir...Je...
Allo?...Allo?...Allo?...

Oooooooh... A
moi!... Au secours!
...Aaaaaah!...

?

Le professeur est en dan-
ger!...Vite!vite!il n'y a pas
un instant à perdre!...

15

Pourvu que je n'arrive pas trop tard!...

Ah! c'est vous, mon cher ami?... Vous venez m'aider à boucler mes valises?...

?¡¿★!¡◆!★✦

Je...Excusez-moi, mais je...je n'y comprends plus rien!...Il m'avait semblé vous entendre crier et appeler au secours... Alors, je suis accouru tout de suite...

Moi?...Crié?...Vraiment, je ne comprends pas ce que vous voulez dire!...

Ça, par exemple, c'est inouï!... Je n'ai pourtant pas rêvé!... J'ai bel et bien entendu des appels au secours...

Le lendemain matin...

C'est gentil d'être venu me dire au revoir.

Voyons, c'est tout naturel...

Je dirais même plus: c'est...c'est tout naturel...

Monsieur le professeur, permettez-moi de vous présenter Messieurs Dupont et Dupond, de la Police Judiciaire...Monsieur le professeur Halambique, sigillographe...

Enchan - té...

Très honoré...

Ah! vous avez de nouveaux chapeaux?...

Oui. Ils sont chics, n'est-ce pas?...Une réelle occasion...Pur feutre anglais; extra-léger: 39,95 frs.

Les voyageurs pour Prague, s'il vous plaît...

Alors, au revoir, et bon voyage!...

Et bonne chance en Syldavie!...

Merci!

Compression!...
Essence!...
Contact!...

Venez donc voir comme il est joli, ce troupeau de moutons, dans cette prairie...

Vous les voyez, là-bas?...

Ah! oui... Ils sont minuscules: on les distingue à peine...

Etrange...

Nous descendons?...

Oui: Francfort... Il y a une escale de quelques minutes...

Monsieur Halambique?... Un télégramme pour vous...

Oh! oh!...

Voilà qui est bien!...Le Gouvernement syldave met un avion spécial à notre disposition. Lisez vous-même...

"Professeur Halambique, à bord avion 487 OO-AGE, Francfort Aérogare. Avion spécial vous attendra à Prague et vous conduira à Klow Stop Cordiales salutations"...Et c'est signé: Schzlozitch, ministre de l'Air...

Bonbons...Chocolats... Sandwiches...Cigarettes...

Ah! je crois qu'on nous appelle...

?

les voyageurs pour Prague, veuillez reprendre vos places, s'il vous plaît...

OO-AGE

C'est vraiment très curieux...

Bah! n'y pensons plus et jetons un coup d'œil sur cette brochure...

SYLDAVIE ROYAUME DU PÉLICAN NOIR

18

SYLDAVIE
ROYAUME DU PÉLICAN NOIR

PARMI les nombreuses régions enchanteresses qui attirent, à juste titre, les étrangers amateurs de pittoresque et de folklore, il est un petit pays, malheureusement trop peu connu, qui dépasse en intérêt beaucoup d'autres contrées. Isolé jusqu'ici, à cause de grandes difficultés d'accès, une ligne régulière d'avions le met à présent à la portée de tous ceux qu'attirent la beauté des sites sauvages, l'hospitalité proverbiale de ses habitants et l'originalité de ses coutumes médiévales qui ont subsisté là malgré les progrès du modernisme.

Ce pays est la Syldavie.

La Syldavie est un petit pays de l'Europe orientale qui se compose de deux grandes vallées, celles du fleuve Wladir et de son affluent le Moltus, lesquels se rejoignent à Klow, la capitale (122.000 habitants).

Ces vallées sont bordées de larges plateaux couverts de forêts, et sont entourées de hautes montagnes neigeuses. Les plaines syldaves sont fertiles en blé et couvertes de grasses prairies d'élevage. Le sous-sol est riche en minerais de toutes sortes.

De nombreuses sources thermales et sulfureuses jaillissent du sol, et principalement à Klow (affections cardiaques) et à Kragoniedin (rhumatismes).

La population est évaluée à 642.000 habitants.

La Syldavie exporte du blé, de l'eau minérale de Klow, du bois de chauffage, des chevaux et des violonistes.

Histoire de la Syldavie

Jusqu'au VI⁰ siècle, la Syldavie fut peuplée de tribus nomades dont on ignore l'origine.

Envahie au VI⁰ siècle par les Slaves, elle fut conquise au X⁰ siècle par les Turcs qui refoulèrent les Slaves dans les montagnes et occupèrent les plaines.

En 1127, Hveghi, chef d'une tribu slave, descendit des montagnes à la tête d'une troupe de volontaires et s'empara des villages turcs isolés, massacrant tout ce qui lui résistait. Il se rendit ainsi rapidement maître d'une grande partie du territoire syldave.

Un grand combat eut lieu dans les plaines du Moltus, à proximité de Zileheroum, capitale turque de Syldavie, entre l'armée turque et les troupes de Hveghi.

L'armée turque, amollie par une longue inaction, mal encadrée par des chefs incapables, ne résista pas longtemps et s'enfuit en grand désordre.

Les Turcs chassés, Hveghi fut élu roi sous le nom de Muskar, c'est-à-dire le Valeureux (de Muskh : « valeur » et Kar : « roi »).

La capitale, Zileheroum, devint Klow, c'est-à-dire Ville Reconquise (de Kloho : « conquête » et Ow : « ville »).

KLOW. — Garde du Trésor Royal.

Type de pêcheur des environs de Dbrnouk (côte sud de Syldavie).

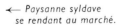
← Paysanne syldave se rendant au marché.

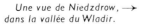
Une vue de Niedzdrow, → dans la vallée du Wladir.

LA BATAILLE DE ZILEHEROUM
d'après une miniature du XVe siècle.

S. M. Muskar XII, roi actuel de Syldavie,
en uniforme de colonel de la Garde.

Muskar fut un roi sage qui vécut en paix avec ses voisins, et le pays prospéra. Il mourut en 1168, pleuré de tous ses sujets.
Son fils aîné lui succéda sur le trône sous le nom de Muskar II.
Plus faible que son père, il n'eut pas assez d'autorité pour maintenir l'ordre dans le pays et bientôt une période d'anarchie remplaça la prospérité.
Le roi des Bordures, peuple voisin de la Syldavie, profita de cet état pour envahir le pays, qui fut annexé à la Bordurie en 1195.
Pendant près d'un siècle, la Syldavie gémit sous le joug bordure.
En 1275, le baron Almazout, renouvelant l'exploit de Hveghi, fondit du haut des montagnes et chassa les Bordures en moins de six mois.
Il fut proclamé Roi, en 1277, sous le nom d'Ottokar. Mais son pouvoir fut beaucoup moins fort que celui de Muskar.
Il dut accorder aux seigneurs qui l'avaient aidé dans sa campagne contre les Bordures, une charte copiée sur la Grande Charte anglaise de Jean sans Terre. Ce fut le début de la Féodalité en Syldavie.
Il ne faut pas confondre Ottokar Ier de Syldavie avec les Ottokar (Przemysl), ducs et rois de Bohême.
Ottokar mourut en 1298. Ses successeurs furent Ottokar II et Ottokar III dont le règne fut sans histoire.
Cette période se caractérise par le renforcement de la puissance des seigneurs, qui fortifièrent leurs châteaux et armèrent des bandes de mercenaires capables de tenir en échec l'armée royale.
Mais le véritable fondateur de la patrie syldave est Ottokar IV, monté sur le trône en 1360.
Dès son avènement, il entreprit de grandes réformes. Il leva une armée puissante et mata les seigneurs trop orgueilleux dont il confisqua les biens.
Il protégea les arts, les lettres, le commerce et l'agriculture.
En un mot, il unifia le pays tout entier et lui donna la sécurité intérieure et extérieure qui fit renaître la prospérité.
C'est lui qui prononça les paroles célèbres : « Eih bennek, eih blavek » qui sont devenues la devise de la Syldavie.
Voici l'origine de cette phrase :
Un jour, le baron Staszrvich, le fils d'un des seigneurs que le roi Ottokar IV avait soumis et dont il avait rattaché les terres à son royaume, se présenta devant le souverain et, témérairement, revendiqua pour lui la couronne de Syldavie.
Le roi l'écouta sans mot dire, mais, lorsque le présomptueux baron termina son discours en le sommant de lui remettre son sceptre, il se leva et répondit fièrement : « Viens le prendre ! ».
Fou de colère, le jeune baron tira son épée, et, avant que les serviteurs eussent pu intervenir, il se précipita sur le roi.

Celui-ci l'évita d'un bond de côté, et comme son adversaire, entraîné par son élan, passait devant lui, le roi lui asséna sur la tête un coup de sceptre qui l'étendit à ses pieds, s'écriant en syldave : « Eih bennek, eih blavek ! », ce qui signifie à peu près : « Qui s'y frotte s'y pique. » Puis, se tournant vers les assistants épouvantés, il dit : « Honni soit qui mal y pense ! »

Ensuite, il contempla longuement son sceptre et lui parla en ces termes : « O sceptre ! tu m'as sauvé la vie. Sois donc désormais le signe suprême de la royauté syldave. Malheur au roi qui te perdra, car, je le proclame, celui-là ne serait plus digne de régner.

Et depuis, tous les ans, le jour de la Saint Wladimir, les successeurs d'Ottokar IV font, en grande pompe, le tour de la capitale.

Ils tiennent à la main le sceptre historique sans lequel ils perdraient le droit de régner et le peuple, sur leur passage, chante l'hymne célèbre :

Syldave, réjouis-toi !
Ce roi est notre roi :
Son sceptre en fait foi.

*

A droite : Le sceptre d'Ottokar IV.

Ci-dessous : Gravure extraite des Hauts faits d'Ottokar IV, manuscrit du XIVe siècle.

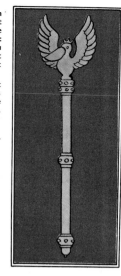

Eh bien! tout cela est extrêmement intéressant, mais...

Mais il s'agit maintenant de me tenir sur mes gardes...Cet homme qui, sans lunettes, distingue parfaitement, d'une telle altitude, un troupeau de moutons, a de bons yeux pour un myope...Et puis, comme c'est curieux, depuis le soir où je l'ai trouvé préparant ses valises, je ne l'ai plus vu fumer une seule cigarette...

Ou je me trompe fort, ou je voyage en compagnie d'un imposteur!...Et dans ce cas, tout s'explique!...Les cris que j'ai entendus au téléphone étaient poussés par le véritable professeur Halambique, qu'on enlevait pour le remplacer par celui-ci...

Il s'agit de le démasquer...A Prague, je lui arrache sa barbe postiche, et je le fais arrêter!...

Prague?...Déjà?...

Oui, nous atterrissons...

C'est le moment...

OH!

OUH!

?

Je...je suis désolé...Je...j'ai manqué une marche...Je vous demande pardon...

Il...il n'y a pas de quoi!...

Monsieur le professeur Halambique? ...L'avion spécial vous attend...

Ce n'est pas une fausse barbe!

Oui, mais les lunettes?... Après tout, cela ne prouve rien. Beaucoup de gens y voient mieux de loin que de près...Et quant aux cigarettes, il a peut-être simplement cessé de fumer...

Tu vois, Milou, en cas de mauvais temps, lorsque l'avion est secoué, on s'attache à son siège, comme ce-ci...

Voici la frontière... Nous sommes en Syldavie...

Très joli pays...

Très joli, n'est-ce pas?...Je vais d'ailleurs vous donner l'occasion de l'admirer de plus près...

Voilà!...Bon voyage!...

HORREUR!

Le parachute, vite!...

Plus le temps de me l'attacher!...

Gare au choc lorsqu'il s'ouvrira!...

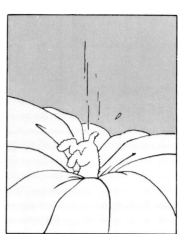

Moi...avion...RRRRRRR...
Tombé...Boum!...dans
la paille...

Czesztot wzryzkar nietz on wagha-
bontz!...Czesztot bätczer yhzer kzöm-
metz noh dascz gendarmaskaïa?...

Mon vieux Milou!

Wouah!
Wouah!

Kzommet micz omhz, noh
dascz gendarmaskaïa!

Vous accompagner
à la gendarmerie?...
Avec plaisirskaïa!...
J'en profiterai pour
porter plainte!...

ГЕНДАРМАСКАИА

Commandant, ce que j'ai à
vous dire est de la plus haute
importance...Puis-je vous
parler en particulier?...

Heu...Bien...
Laissez-nous
seuls...

Je voudrais d'abord vous poser une
question. J'ai lu dans une brochure con-
sacrée à la Syldavie que si votre Roi
venait à perdre son sceptre,il serait obligé de renoncer au trône. Est-ce exact?...

C'est exact, en effet...Mais.
où voulez-vous en venir?

A ceci: je suis persuadé qu'un
complot se trame actuellement
contre S.M. Muskar XII, et que
certaines personnes cherchent
à lui ravir son sceptre!...

Que dites-vous là?...Qu'est-
ce qui peut vous faire sup-
poser une chose pareille?

25

Je vais vous expliquer... Mais d'abord, êtes-vous bien sûr que personne ne nous écoute?...

Personne. Vous pouvez y aller...

Dis donc, ça m'a l'air sérieux... Voilà près d'une heure qu'ils sont en conférence...

Vous venez de rendre un grand service à mon pays: je vous en remercie. Je vais immédiatement télégraphier à Klow pour faire arrêter le professeur Halambique. Quant à vous, inutile, n'est-ce pas, de vous recommander la plus grande discrétion...

Soyez tranquille!...Et maintenant, je voudrais continuer ma route. Y a-t-il moyen de louer une auto?...

Non, il n'y a pas d'auto au village. Mais c'est demain jour de marché à Klow. Vous pourriez accompagner un paysan qui part aujourd'hui pour s'y rendre. Seulement, vous n'arriverez que demain matin...

Tant pis! je n'ai pas le choix. Je partirai avec ce paysan.

Allo?...Oui, ici Klow 3324...Oui, Comité Central...Trovik à l'appareil...Ah! c'est Wizskizsek?...Quoi?...Tintin???...Mais c'est impossible: le pilote vient de me dire... Comment?...Dans de la paille?...Tonnerre! il faut absolument l'empêcher d'arriver à Klow!...Arrange-toi comme tu voudras!...Oui, c'est cela, téléphone à Sirov...

Allo?...Oui, ici Sirov... Salut, Wizskizsek...Oui... Un jeune garçon...Sur la route de Klow...Dans une charrette de paysan...Bien, nous l'attendrons dans la grande forêt...Oui, nous partons tout de suite ...Salut!...

Attention!...Les voilà!...

Haut les mains!...

Où est le jeune étranger que tu conduis à Klow?...

L...l...l ej...j...jeu...n...n...jeune ét...ét...ét...étran...

Oui, ça va!...Nous savons qu'il est avec toi!...Fouille la charrette, Zlop!...

Et...et...étrang...ger q...qqq...qui ét...ét...

était av...av...avec m...m...m...moi?...

C'est parce que tu as peur que tu bégayes comme ça?...

N...n...non!...C...c...c'est p...p...p...papa...paparce q...q...q...paparce que j...j...j...je pa...papa...paparle...

Dis donc, Sirov, il n'y a personne!...

Tonnerre! où est-il alors?... Vas-tu parler, oui ou non?...

J...j...j'al...j'allais v...v...v...vous l'ex...ex...ex...ppp...pliquer, m...m...mais v...v...vvv...vou m'av...vvvez...m'avez int...t...ttt...terrompu!...V...v...voilà...Il s...s...sss...s'est ar...ar...arrêté à l'au...à l'au...à l'au...

Allo!...Allo!...Allo, quoi?...Te crois-tu donc au téléphone?

A l'au...a l'auberge de la C...C...Cou...de la Coucou...de la Couronne...

Tu ne pouvais pas le dire plus tôt, non?...

Silence!...J'entends une auto!...

Et...et...et...il...il...il y a...a...a...il y avait...

Un seul mot, un seul geste...et n'oublie pas que nos fusils seront braqués sur toi!...

Ec...éc...éc...écout...ttt...tez...J...j...je v...v...vais...

La voilà passée... Redescendons...

Je...j...je v...v...voulais v...v...vous d...d...ddd...dire q...q...q...que le j...j...jeu...jeu...jeujeu-ne ét...ét...ét...étranger q...q...que...

Où est-il, mille tonnerres?...

D...d...d...dandans la v...v...v...voiture qui v...v...v...vient de pa...de papa...de papa...de papa...de passer!...

27

Oui, je chante ce soir au Kursaal de Klow...Vous plairait-il de m'entendre maintenant?...

Très volontiers...

Ah! ♫ je ris ♪ de me voir si be-e-elle ♫ en ce miroir!... ♪♫

Est-ce toi Mar-gue-ri-te?

Heureusement, les vitres sont solides!...

SECURIT

Allo?...Oui, ici,Wizskizsek...Ah!c'est toi,Sirov?...Eh bien?...Quoi?...Tonnerre!... Ce n'est pas votre faute?...C'est la mienne,peut-être,hein?...Quoi?...Si ce bègue avait parlé plus vite?...Si!...Si!...Avec des "si", on met Klow dans une bouteille!...Je vais téléphoner au commandant de gendarmerie de Zlip...Oui, il est avec nous...On l'arrêtera au passage...

Eh bien, cela vous a-t-il plu?...

B...b...beaucoup, vraiment!...

Dans ce cas, et pour vous faire plaisir, je vais encore vous chanter quelque chose!...

!!

ЗЛІП

Où est le jeune garçon qui vous accompagnait?...

Il nous a quittés en cours de route. Il avait oublié quelque chose à l'auberge de la Couronne, et il y est retourné...

J'aurais inventé n'importe quoi pour lui échapper...

Pendant ce temps, à Klow...

Ainsi, vous désirez avoir accès à la salle du Trésor pour y compulser les archives du Royaume?...Je ne vous cache pas que c'est là une faveur qui n'est accordée que très rarement à un étranger. Mais,comme l'ambassadeur répond de vous, je crois que Sa Majesté accueillera favorablement votre requête...

C'est lui!... Demandons-lui ses papiers...

Vos papiers ne sont pas en règle!... Suivez-nous à la gendarmerie!...

En effet, vos papiers ne sont pas en règle!... Je vais être obligé de vous garder ici en attendant des instructions...

Voyons, commandant, il doit y avoir erreur!... Mon passeport a été visé avant mon départ... et...

Je regrette, mais il m'est impossible de vous laisser poursuivre votre route... Gendarmes, emmenez-le...

!

Commandant!... Ecoutez-moi!... J'ai des révélations à vous faire !... Je...

Allo?... Wizskizsek?... Ici, Sprbodj... Je tiens le bonhomme!... Oui, nous n'avons eu qu'à le cueillir... Alors, que faut-il en faire?... Oui... Oui... Il ne faut pas qu'il arrive à Klow, évidemment... Je vais y penser... C'est cela, téléphone-moi demain matin... Salut...

Et pendant que je me morfonds ici, Dieu sait ce qui se passe en ce moment-ci à Klow...

Aaaouaaah!... Voilà le soir qui tombe... Je vais essayer de dormir, puisqu'il n'y a rien d'autre à faire...

Ici, Klow P.T.T.... Chers auditeurs, veuillez écouter, retransmis du Kursaal de Klow, un concert avec le concours de Madame Bianca Castafiore, de la Scala de Milan...

♪♫*☆♪ #*☆♩*♪

Ah! je ris ♪ de ♪ me ♫ voir si be-e-elle en ♪♫ ce miroir!... Est-ce toi Marguerite?...

Réponds-moi ♩ réponds-moi ♪ Réponds, réponds, réponds vite! ♪

Le lendemain...

Voici le laissez-passer, revêtu de la signature royale, qui vous donnera accès à la salle du Trésor. Le lieutenant Kromir va vous y conduire...

Le trésor est gardé dans la Tour Carrée du Château Kropow. C'est une garde spéciale qui veille sur lui...

Ordre de Sa Majesté!

Monsieur le professeur veut-il me suivre?

Le trésor a l'air d'être bien gardé!...

Oh, oui!...Soyez certain qu'il n'est pas encore né, celui qui le volera...

Monsieur le professeur, voici le Trésor de sa Majesté!...

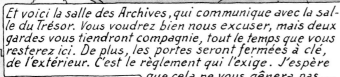

Et voici la salle des Archives, qui communique avec la salle du Trésor. Vous voudrez bien nous excuser, mais deux gardes vous tiendront compagnie, tout le temps que vous resterez ici. De plus, les portes seront fermées à clé, de l'extérieur. C'est le règlement qui l'exige. J'espère que cela ne vous gênera pas...

Pas le moins du monde...

Pendant ce temps...

Vous allez conduire ce jeune homme à Klow. Seulement, attention!... C'est un gaillard dangereux, qui a surpris des secrets d'Etat... On m'a même laissé entendre, en haut lieu, qu'il vaudrait mieux qu'il n'arrivât jamais à Klow...

Voici donc ce que vous allez faire...Toi, le chauffeur, arrange-toi pour tomber en panne...Les autres viendront auprès de toi, pendant que tu feras semblant d'examiner ton moteur...A ce moment, le bonhomme essayera de fuir et... Vous avez saisi?...

Très bien, commandant!...Mais s'il n'essaye pas de fuir?...

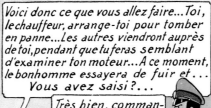

Soyez tranquille!...Il essayera, j'en suis certain!...

Je me demande qui a pu me faire parvenir ce papier?... Un ami?...Quel ami?...

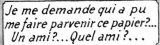

PRENEZ GARDE! VOUS ALLEZ ÊTRE CONDUIT À KLOW POUR Y ÊTRE FUSILLÉ! IL FAUT ESSAYER DE FUIR. PENDANT LE TRAJET FAITES SEMBLANT DE DORMIR. LE CHAUFFEUR, QUI EST UN AMI, SIMULERA UNE PANNE ET APPELLERA LES AUTRES GENDARMES PRÈS DE LUI. C'EST LE MOMENT QUE VOUS CHOISIREZ POUR VOUS ENFUIR...

UN AMI

Détruisons donc ce billet, puisqu'on me le demande...

Allons, Milou, fais-moi le plaisir d'avaler cette boulette de papier...

Dépêche-toi, Milou...Je crois qu'on vient nous chercher...

Dis donc, tu te figures sans doute que c'est facile?...

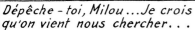

Eh bien, pourquoi t'arrêtes-tu ?...

Nous sommes en panne...

Nous allons voir ?... Oh! pas de danger: il dort à poings fermés...

Attention, il a bougé !... Il va descendre... Tenez-vous prêts...

C'était un piège !... Je suis perdu !...

Ça y est !... Ne le ratons pas !...

Un seul moyen : le plongeon !...Hop !

PAN PAN PAN

WIZZZ

PAN

WIZZZZ

CLAC

Inutile, ne tirez plus !... Il a disparu derrière les rochers... Il a dû se casser le cou... Allons le chercher...

C'est de ce côté qu'il est tombé...Là,derrière ces blocs de rocher...

Aïe! les voilà!...

Attention ! c'est ici ...

Tonnerre!où est-il?... Il faut absolument le retrouver...Le commandant ne nous pardonnerait jamais de l'avoir réellement laissé filer, alors qu'il a tout préparé pour qu'il tombe dans le panneau...

Allons, cherchons encore : il ne peut pas être loin...

Ouf!... les voilà passés...

Et maintenant, en route pour Klow!...

Il va falloir jouer serré,c'est certain!...Ce que j'ai entendu me prouve que je dois me méfier de tout le monde...C'est le Roi en personne qu'il faudra prévenir!...

Pendant ce temps à Klow...

Je ne sais si la chose est permise, mais j'aimerais pouvoir photographier certains documents...

En principe, c'est interdit,mais peut-être Sa Majesté vous accordera-t-elle l'autorisation...

Ah! nous rejoignons la grande route...

Sapristi! que j'ai faim!...

Sa Majesté vous accorde l'autorisation de photographier les documents.Seulement les photos ne pourront être prises que par le photographe officiel de la Cour,Monsieur Czarlitz.Voici le décret qui l'autorise à pénétrer avec vous au château ...

Et voilà Klow...

Va-t-on enfin pouvoir manger, dis?...

Le Palais Royal, s'il vous plaît?...

Suivez cette rue jusqu'à la place Ottokar, et là, tournez à gauche...

HAUTE TENSION

Quel déluge!...Mettons-nous à l'abri en attendant que cela cesse...

On va manger?...

Tu vas immédiatement rapporter cet os où tu l'as trouvé!... Compris?...Et vite!...

Ah! voilà le Palais Royal!

Sa Majesté pourrait-Elle m'accorder une audience?...C'est pour une affaire très grave et très urgente ...

Veuillez attendre quelques instants: je vais voir si l'aide de camp de Sa Majesté peut vous recevoir. Qui dois-je annoncer?...

Tintin.

Monsieur Tintin?...Et c'est pour une affaire très grave?... C'est bien, introduisez-le...

...certainement, Madame...Oui... Oui...A ce soir, huit heures et demie...Sa Majesté sera ravie...Mes hommages, Madame...

Et pendant ce temps-là...

Alors, c'est convenu, Monsieur Czarlitz?...Je viendrai vous prendre demain matin, vers neuf heures, et nous nous rendrons ensemble au Château Kropow...

Entendu, Monsieur le pro - fesseur.

Vous désirez donc avoir un entretien avec Sa Majesté?...Puis-je savoir pour quel motif?...

Euh...Je...Vous voudrez bien m'excuser, mais...c'est tout à fait confidentiel et...

Je suis aide de camp de Sa Majesté, Monsieur!...Et j'ose dire que j'ai toute la confiance de mon souverain!...

Je n'en doute pas, colonel!...Mais l'affaire dont j'ai à entretenir le Roi est d'une telle importance que je ne puis en parler qu'à Lui seul...

Soit, je n'insiste pas...Voulez-vous revenir ce soir, vers huit heures et demie?...J'essayerai d'obtenir de Sa Majesté qu'elle vous accorde quelques instants d'entretien avant la fête qui a lieu au Palais...

Je vous remercie...

Et maintenant, Milou, allons dîner...

Allo?...Oui, ici Comité Central... Ah! c'est toi, Boris?...Salut!... Quoi de neuf?...Oui...Que dis-tu?... Tintin?...Tu es sûr?...Mais le commandant de gendarmerie de Zlip m'avait pourtant affirmé... Oui...Des choses graves?...Parbleu!...Mais il n'a pas précisé?...

Bon!...Et...Ah!...Il doit donc revenir ce soir, vers huit heures et demie?...C'est bien, nous avons le temps...Ecoute. Il ne faut pas qu'il arrive à parler au Roi...Bien sûr!... Alors, voilà ce que nous allons faire...Ecoute-moi...

Et le soir...

Le Roi a bien voulu vous accorder quelques instants d'entretien. Voulez-vous suivre le capitaine des Gardes? Il vous conduira à la Galerie des Fêtes, où Sa Majesté vous recevra...

Très bien...

Chut...Les voilà...

Wouah! Wouah!

?

Ce sale cabot a donné l'alarme!... Allons-y!...

Un guet-apens!...

Tu es pris, mon petit. Inutile de résister!...

!

Traître!...

BOUM

Merci, Milou!...

Knock-out tous les quatre: ça va bien!... Et maintenant, essayons de voir le Roi...

Il doit se trouver ici...

?

Vite! c'est du côté de la serre, près de la Galerie des Fêtes...

Aïe! une patrouille!...Il n'y a plus à hésiter!...

Laissez-moi!...Laissez-moi passer!...Je veux parler à Sa Majesté!...

Sire!...Sire!...Prenez garde!...Méfiez-vous du prof...

La Garde!... Qu'on appelle la Garde!... Vite!...

...C'est un jeune anarchiste qui avait réussi à s'introduire au Palais, Sire...

Le lendemain matin...

Encore du temps perdu!... Et je suis bien sûr que les conspirateurs, eux, n'auront pas perdu le leur...

CLING CLING CLING

Vous allez être transféré à la prison d'Etat, en attendant d'être jugé. Veuillez nous suivre. La voiture cellulaire nous attend...

Allo, ici l'hopital St Wladimir... Un accident?... Dérapage?... Plusieurs blessés?... Rue du Fleuve?... Bien!...L'ambulance part tout de suite...

Celui-ci est toujours sans connaissance...

Oui, commotion cérébrale, sans aucun doute...

Allons chercher les autres...

Très passagère, cette commotion cérébrale!...Allons-y, Milou!... C'est le moment ou jamais...

Et voilà !...Le tour est joué!... Maintenant, retournons vite au Palais!...

Il faut, coûte que coûte, que j'arrive à voir le Roi...

Et, cette fois, plus rien ne pourra m'empêcher de lui parler!...

Vous n'êtes pas blessé, j'espère?...

Non...Merci...Ça va...Je...Mon Dieu! le Roi!!!...

Prenez garde, Sire!...C'est le jeune anarchiste qui a es- sayé de...

?

Ne tirez pas, Sire!...Ecoutez-moi!...Je ne suis pas un anarchiste!...Je voulais vous mettre en garde...Sire, en ce moment peut-être, des misérables essayent de voler votre sceptre!

Que dites-vous là?...

La vérité, Sire!...Je suis persuadé que le professeur Halambique, qui est venu en Syldavie soi-disant pour y étudier les archives royales, est un imposteur. Son but, et celui de ses complices, est de s'emparer du sceptre d'Ottokar, et de vous obliger ainsi à renoncer à la Couronne!...

Dieu! Est-ce possible?...

Pendant ce temps...

Et cet homme est leur complice, Sire!.. C'est pour cela qu'il voulait encore m'empêcher de vous parler!...

C'est faux, Sire!..

Complice, lui?...

Il ment, Sire, et je vais...

Vous allez immédiatement rentrer au Palais, où vous attendrez mes ordres!...Quant à moi, je vais au Château Kropow avec ce jeune homme, afin de m'assurer de la véracité de ses di- res...

Hâtons-nous, Sire...Je crois qu'il n'y a pas une minute à perdre...

Voilà...Pouvons-nous passer dans la salle du Trésor, et photographier la couronne et le sceptre?...

Volontiers...

La lumière n'est pas fameuse. Il faudra travailler au magnésium...

Nous arrivons...Voilà les tours du Château Kropow. C'est là, dans la tour carrée centrale, que se trouve le sceptre...Ah! pourvu qu'il ne soit pas trop tard!...

Le Roi!...

Tout a l'air normal...Nous sommes arrivés à temps!...

Je l'espère, Sire...

Où est le professeur Halambique?...

Dans la salle du Trésor, Sire, avec le capitaine des gardes et Monsieur Czarlitz...

Ouvrez!...Ouvrez!... C'est le Roi!...

On ne répond pas!... Vite, qu'on m'apporte d'autre clés!...

Se pourrait-il vraiment que?...

Espérons que non, Sire... Ah! voilà le garde qui revient avec les clés...

Le lendemain matin...

Ainsi donc, Monsieur le maréchal, le sceptre n'a pas encore été retrouvé?...

Hélas, non, Sire... Mais j'ai fait appel à deux célèbres détectives étrangers, qui doivent arriver ce matin même à Klow. Je les attends d'une minute à l'autre...

BOUM

Ah! je crois que je les connais...

Que se passe-t-il? ...Allez voir...

?

Euh... Nous sommes les détectives qui... Hem!... Nous... nous avons glissé... et...

Oui... Et nous sommes tombés...

Sire, je vous présente Messieurs Dupont et Dupond, détectives diplômés...

Messieurs, soyez les bienvenus en Syldavie...

Majesté, votre sire est bien bonne... Je veux sire... non, je veux dire...

Je sirais même plus, dire... c'est à sire, Majesté...

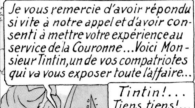

Je vous remercie d'avoir répondu si vite à notre appel et d'avoir consenti à mettre votre expérience au service de la Couronne... Voici Monsieur Tintin, un de vos compatriotes qui va vous exposer toute l'affaire...

Tintin!... Tiens, tiens!...

Eh bien, voilà!...On a volé le sceptre du Roi!...Lorsque Sa Majesté et moi, nous sommes entrés dans la Salle du Trésor, nous y avons trouvé, profondément endormis, le capitaine des gardes, deux de ses hommes, le photographe Czarlitz, et le professeur Halambique, que vous connaissez. Ces cinq personnes n'ont repris connaissance que ce matin et...

Ont-elles été interrogées?...

Oui, et leurs dépositions concordent en tous points. Monsieur Czarlitz a voulu photographier au magnésium. Aussitôt après l'éclair il s'est élevé une épaisse fumée, qui a pris les assistants à la gorge et leur a fait perdre connaissance...

Bien. Mais... hem... A-t-on songé à fouiller toutes ces personnes?...

Bien sûr! On a même démonté les hallebardes des gardes et les pieds de l'appareil photographique, afin de voir si on n'y avait pas dissimulé le sceptre. On n'a rien trouvé. On a fait des sondages afin de découvrir s'il n'existait pas une issue secrète: rien! La seule porte par laquelle le voleur aurait pu fuir, était gardée par deux sentinelles, qui n'ont vu sortir personne...

Eh bien! Sire, toute cette affaire est d'une simplicité enfantine!... Si vous le permettez, nous nous rendrons au château Kropow et nous vous montrerons de quelle façon votre sceptre a été volé...

Eh bien, allons-y!...

Sapristi! ils sont plus forts que je ne le croyais...

Faites attention: les dalles sont assez glissantes...

Voici donc la salle du Trésor. C'est ici que se trouvait le sceptre...

Eh bien! Sire, c'est bien ce que nous disions: tout cela est d'une simplicité enfantine!

Voilà comment les choses se sont passées. Un des cinq personnages présents est complice. Il tombe comme les autres lorsque la fumée se dégage. Mais il a eu soin de se mettre un mouchoir sur le nez. Lorsqu'il est certain que les autres sont endormis, il se relève, ouvre la vitrine, s'empare du sceptre, ouvre la fenêtre et laisse tomber le sceptre dans la cour. Là, un autre complice le ramasse, l'emporte, et le tour est joué!...

Impossible, Messieurs!... La cour était surveillée. Il ne pouvait y avoir là que des gardes. Et ces gardes sont au-dessus de tout soupçon!... Ce sont des hommes d'une fidélité éprouvée, qui se feraient tuer jusqu'au dernier plutôt que de trahir Sa Majesté!...

Il est pourtant exact que le garde qui était de faction de ce côté-ci de la tour, ait entendu s'ouvrir et se refermer une fenêtre. Mais il n'a rien remarqué d'anormal...

Bien sûr!... Parce que le voleur aura lancé le sceptre par-dessus la muraille qui entoure le château!... Et là se trouvait un complice qui l'a ramassé et qui s'est enfui...

D'ailleurs, vous allez voir... Pouvez-vous me donner un objet de la même dimension que le sceptre?

Volontiers...

Mais enfin, regardez!... De cette fenêtre aux murailles, il y a au moins cent mètres!... Et puis, il y a des barreaux!...

Quelle importance? ...Il suffit de viser adroitement...

Voici...Ceci peut-il convenir?...

Parfait!...

Vous allez voir...

? BING

Tu n'es qu'un maladroit! ...Je vais te montrer, moi, comment il faut faire!...

Regardez bien!...

BING ?

Vous voyez vous-mêmes que ce n'est pas de cette façon que le sceptre a pu sortir de cette salle!...

Oui...Oui...Sans doute, mais ...Nous voudrions maintenant interroger le professeur Halambique et Monsieur Czarlitz...

Sire!...Sire!...Ah! je vous trouve enfin!...

?

Sire!...Le professeur Halambique et Monsieur Czarlitz...C'est inouï!...

Ils se sont évadés de la prison d'Etat, Sire...Ils avaient des complices parmi les gendarmes!...Quatre d'entre eux ont disparu avec les fugitifs!...

Par le sceptre d'Ottokar!...

Des complices!...Des complices!...Ils en ont donc partout!...Ah!le coup a été bien monté: je suis perdu!...

Sire, laissez-nous faire!...Il nous faudra une semaine, un mois, un an peut-être, mais votre sceptre, nous le retrouverons!...

Hélas! Messieurs,c'est dans trois jours qu'il me le faut!...Si je n'ai pas mon sceptre pour la St Wladimir, je n'aurai plus qu'à ab-   diquer!...

"Trois jours, leur dit Colomb, et je vous donne un monde!"...Trois jours, Sire et nous vous amenons votre sceptre, pieds et poings liés,nous le jurons!...

Je vous remercie, Messieurs. Ah! puissiez-vous réussir!...

Cette fois,notre honneur est en jeu!...Nous avons promis de retrouver le sceptre: il faut tenir parole!...

Je dirais même plus:il le faut!...

Que St Wladimir les protège!...Ils réussiront, n'est-ce pas?...

Je l'espère de tout cœur, Sire...

En tout cas,si vous le permettez, je vais essayer, de mon côté, de tirer cette affaire au clair.

Merci,mon ami.Quoi qu'il arrive,je n'oublierai jamais ce que vous avez fait pour moi!"...

Ce qui importe avant tout,c'est de savoir COMMENT le sceptre a été volé...

JOU

ETS
!?

Eurêka!...Eurêka!...J'ai trouvé!...

44

Voyons! que vous est-il arrivé?...Parlez, vite!...

L'appareil photographique!... Regardez l'appareil!...

Un ressort?...

Oui, et c'est ce ressort qui a sauté. En m'atteignant au visage, il m'a mis knock-out!...

C'est prodigieux!...Comment avez-vous découvert cela?...

En passant devant un magasin de jouets!...J'ai vu là un petit canon à ressort, et c'est lui qui m'a donné l'idée que l'appareil photographique était peut-être truqué et qu'il dissimulait lui aussi un ressort, capable de lancer le sceptre par delà les murailles du château!...J'avais deviné juste!...

Vous allez voir...Voici le ressort remis en place...J'introduis dans le tube l'objet employé par les deux détectives...

Je place l'appareil devant la fenêtre, le bout recourbé du soi-disant sceptre dépassant des barreaux...

Je presse le déclic... Et hop!...

Il est tombé dans le bois, de l'autre côté du fleuve!...Je vais aller jeter un coup d'oeil là-bas...

Vous trouverez un canot au bord de la rive...

Comment avez-vous appris que j'étais ici ?...

En retournant au château. C'est là qu'on nous a dit que vous aviez traversé le fleuve...

Voilà le Roi... Lui aussi a été prévenu... Il a fait le tour par le pont pendant que nous passions le fleuve en canot...

Eh bien, que s'est-il passé ?...

Le sceptre vient d'être emporté par des bandits en auto !...Si vous vouliez nous prêter votre voiture, Sire, nos amis et moi nous essayerions de les rattraper...

Ils n'ont pas une grande avance sur nous... Nous les aurons vite rejoints...

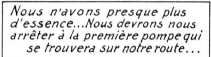

Nous n'avons presque plus d'essence...Nous devrons nous arrêter à la première pompe qui se trouvera sur notre route...

Ah! en voilà une...

Vingt litres !... Et en vitesse !...

Encore trente-trois kilomètres jusqu'à la frontière...Ça va !...Dans une demi-heure nous aurons quitté la Syldavie et le sceptre sera en sûreté !...

L'auto du Roi !... Nous sommes poursuivis !...

Nous les avons surpris!... Ils s'enfuient dans la montagne!...

Ils n'ont même pas eu le temps de remonter en voiture...

Dépêchons-nous!... Ne les laissons pas s'échapper!...

Ils nous poursuivent toujours!...

Il faut en finir!... Nous allons leur jouer un tour!...

Courage!...Nous les aurons!...

PAN

Cachez-vous, vous autres!...Ils nous tirent dessus!...

PAN

Eh bien, où sont restés Dupont et Dupond?... Je ne les vois plus...

PAN

CLAC

Il faut pourtant trouver le moyen de les capturer...

Suis-moi, Milou, et surtout, ne te montre pas!...Nous allons les prendre à revers!...

Tiens, où est passé le troisième?...

Dis donc, plus rien ne bouge...

Nous l'avons peut-être touché... Attention! voilà les deux autres!...

Haut les mains!...

Je comprends!...Vous étiez chargés de nous barrer la route pendant que votre complice s'enfuyait avec le sceptre!...

Vite! occupez-vous de ces deux gaillards!...Moi, je continue...

Tonnerre! je n'y comprends rien!...Ce petit enragé est toujours à ma poursuite!...

La nuit tombe...Il faudra bientôt s'arrêter...

Impossible de continuer!...Il va falloir passer la nuit ici!...

Voilà!...Il n'y a plus qu'à attendre le jour!...

Le lendemain, à l'aube...

Allons, Milou, en route!...Il faut absolument retrouver le sceptre!...

Marchons vite : cela nous réchauffera...

Enfin la frontière!...
Je suis sauvé!...

Eh bien, il était
moins cinq!...

Tu finiras par te casser le cou, avec tes acrobaties!...

Fouillons-le...Ah! voici son portefeuille...

?

Z.Z.R.K. 1239

SECRET

Aux Commandants des sections de choc
OBJET : Prise du pouvoir

J'attire votre attention sur l'ordre dans lequel se dérouleront les opérations relatives à la prise du pouvoir en Syldavie. La veille de la St Wladimir, les agents provocateurs de nos sections de propagande fomenteront des incidents et feront en sorte que les habitants de nationalité bordure soient molestés.
Le jour de la St Wladimir, à 12 heures (heure H) les sections de choc occuperont le poste de radio Klow P.T.T., le champ d'aviation, la Centrale électrique, l'usine à gaz, les banques, la poste centrale, le Palais Royal, le château Kropow, etc...
Chaque chef de section recevra en temps utile les ordres précis concernant la mission particulière qui lui sera assignée.
Amaïh!
(s) Müsstler

Z.Z.R.K. 1240

SECRET

Aux Commandants des sections de choc
OBJET : Prise du pouvoir

Je vous rappelle que je lancerai un appel à la radio aussitôt que le poste Klow P.T.T. sera tombé entre nos mains.
A cet appel, les troupes motorisées bordures pénètreront en territoire syldave, afin de libérer notre pays de la tyrannie du roi Muskar XII.
En tenant compte des velléités de résistance que pourraient leur opposer quelques fanatiques partisans du Roi et certains éléments troubles de la population, les troupes bordures arriveront à Klow vers 17 heures.
J'invite tous les membres du Z.Z.R.K. à verser jusqu'à la dernière goutte de leur sang pour conserver jusqu'à ce moment les positions qu'ils auront occupées à midi.
Amaïh!
(s) Müsstler

Plus un instant à perdre! Il faut retourner à Klow le plus rapidement pos-sible...

Pas à pied, j'espère?...

Qu'est-ce qui m'arrive?...

Oh! mais...je comprends!...Je n'ai plus rien mangé depuis hier!...Si j'avais quelque chose à me mettre sous la dent...

Une maison, là-bas...Seulement, c'est de l'autre côté de la frontière...Tant pis! j'ai trop faim!...

Un poste frontière bordure!...

63

Sapristi! il est revenu à lui!... Ma re - traite est coupée ! ...

PAN

HAOW HAOW

C'est un redoutable espion syldave!...Il faut absolu - ment le retrouver!...

Attention ! il doit s'être réfugié dans cette maison...

Non, il en est ressor- ti...Continuons!...

Eh bien, que se passe-t-il ?...

Qu'a-t-il pu sentir là ?...

Du poi...Tchoum!... C'est du poivre... Aaaah...tchoum!...

Le gredin! il a semé du poivre pour dépis- ter le chien!...

Le lendemain...

Voilà deux nuits que je dors à la belle étoile!...Je suis fourbu!...Si je ne parviens pas à retrouver mon chemin, jamais je n'arriverai à temps...

Un avion militaire bordure!...

Il sort son train d'atterrissage ...Où va-t-il atterrir?...

?

Si j'arrivais à m'emparer d'un de ces appareils, je serais à Klow en moins d'une heure...

Alors tout a bien marché?...

Oui...Rien de spécial, d'ailleurs: reconnaissance le long de la frontière...

Tu sais, j'ai des tuyaux...C'est demain, à midi, que Müsstler lancera son appel à la radio...Une heure après, notre escadrille atterrira à Klow, et...

?!*
*!

Et maintenant, pleins tubes jusqu'à Klow!...

Le soir tombe...C'est ennuyeux...Je n'arriverai pas avant la nuit...

Allo? D.C.A. divisionnaire?...Ici poste d'écoute 34...Un avion bordure a franchi la frontière et se dirige vers Klow... Que faut-il faire?...

Les ordres sont précis, lieutenant: tirez dessus!...

Tiens, tiens! des projecteurs...

Ça y est!...Me voilà en plein dedans!...J'espère que...

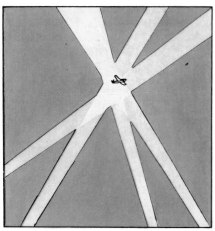

Sapristi! mais...c'est moi que l'on canarde ainsi!...

Touché!...Re- gardez, il est en flammes!...

Un poteau indicateur!... Ça, c'est de la veine!...

ISTOW 31.2 Km. KLOW 24.7 Km.

Vingt-cinq kilomètres: cinq heures de marche!...

Une paille!...

Une ferme!...Des écuries!...Si j'essayais d'emprunter un cheval?...

Ça, c'est une riche idée!...

Ah! voici un cheval!... Chut! du calme!...Bon, voici une selle...Chut!... Allons, sois bien sage: je...

Tout compte fait, si nous allions à pied?...

Pourquoi pas?... Un peu de marche nous fera du bien...

Cette nuit-là...

La situation est très grave, Sire!... Le peuple murmure: il dit qu'on lui cache la vérité, que le sceptre a disparu...De plus...

...hier encore, des magasins bordures ont été saccagés. Certes, ces incidents sont l'oeuvre d'agents provocateurs au service de l'étranger, mais tout cela a créé une dangereuse agitation. Si donc, demain, Votre Majesté se montre à la foule sans le sceptre, je crains...

Rassurez-vous, mon cher ministre, le sang ne coulera pas!... J'ab— diquerai!...

Non, Sire, vous n'abdiquerez pas!...

! TINTIN!... ?

Sire, je vous rapporte votre sceptre!...

Sauvé!...

Le voici...Je...Mon Dieu! je l'ai perdu en cours de route!...

Heureusement que je me suis aperçu que le sceptre était tombé de sa poche!...

!

???

Sauvé!...Je suis sauvé!... Ah! que je suis heureux!...

Sauvé momentané-ment, Sire, car j'ai dé-couvert également autre chose...

Voici des papiers que j'ai trouvés sur l'un des ban-dits que je poursuivais...

"Prise du pouvoir"!...Et c'est signé: Müsstler!... Müsstler, le chef du parti "La garde d'a—__cier"!...

Il n'y a pas un ins-tant à perdre!... Faites arrêter immé-diatement Müsstler et ses complices!...

Bien, Sire!...

Général, la revue des troupes n'au-ra pas lieu demain, comme il était prévu. Il faut que, pour huit heures du matin, l'armée de cam-pagne soit en position défensi-ve, à la frontière. Faites également occuper tous les points straté-giques qui constituent l'objectif des révolutionnaires...

Très bien, Sire!...

Quelques heures plus tard...

COCORICO

BOUM

BOUM

Le canon!...

Entrez!...

TOC
TOC
TOC

Ah! c'est vous... Dites-moi: que signifie cette canonnade?...

Ça?...

Ce sont les salves que l'on tire pour célébrer la St Wladimir... Allons, vite, habillez-vous, ou nous arriverons en retard à la cérémonie...

Le carrosse royal vient de sortir du Palais et s'avance... Le Roi, souriant, tête nue, tient à la main le sceptre d'Ottokar... Le Roi est salué par de vibrantes acclamations... qui ne s'arrêtent que pour faire place à l'hymne national, repris en chœur par des milliers de poitrines...

Le Roi est rentré au Palais... A plusieurs reprises, Il a dû paraître au balcon, salué par les acclamations d'une foule en délire... Après cela, le Roi s'est rendu dans la salle du Trône, où a lieu, en ce moment-même, la cérémonie de la remise des distinctions honorifiques...

Mesdames, Messieurs, jamais, au cours de notre histoire, l'ordre du Pélican d'Or n'a été décerné à un étranger. Aujourd'hui, cependant, et d'accord avec Nos ministres, Nous avons décidé d'accorder cette haute distinction à Monsieur Tintin, pour le remercier des immenses services qu'il vient de rendre à notre pays...

Je te fais chevalier de l'ordre du Pélican d'Or...

Hourrah!... Hourrah!...

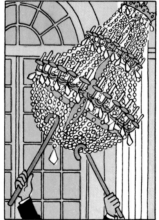

Quelques jours après...

MINISTÈRE DE L'INTERIEUR

CABINET DU MINISTRE

Sans doute serez-vous heureux de connaître les résultats de notre enquête. Vous savez déjà que Müsstler, le chef de la Garde d'Acier, et la plupart de ses complices, ont été arrêtés. Sous le couvert de la Garde d'Acier, ils constituaient en réalité le Z.Z.R.K., c'est à dire, le Zyldav Zentral Revolutzionär Komitzät, qui avait pour but la chute de la Monarchie et le rattachement de notre pays à la Bordurie...

On a également arrêté votre compagnon de voyage, le soidisant professeur Halambique, sur qui on a trouvé un aidemémoire soigneusement établi par cet imposteur...

Stassanow, Yegor Ambassadeur,

Grand ami. Nous nous tutoyons. Ai fait ta connaissance à Belgrade, en 1913, au cours d'un congrès de sigillographie. M'a donné lettre de recommandation pour compulser archives roy...

Kaviarovitch agent secret pol. syld.

chargé de surveiller organisations syldaves à l'étranger...

Je le reconnais, celui-là!... C'est l'homme qui s'est évanoui chez moi... Ça, par exemple! mais c'est moi, cela!...

Tintin reporter. M'a rapporté ma serviette perdue...

C'est inouï!... Mais à quoi pouvait lui servir ce carnet?...

A pouvoir reconnaître sans hésitation les gens que fréquentait le véritable professeur Halambique... Car voici une photo que notre police a également saisie et qui vous donnera la clé de l'énigme...

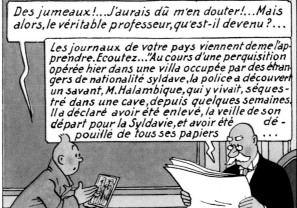

Des jumeaux!... J'aurais dû m'en douter!... Mais alors, le véritable professeur, qu'est-il devenu?...

Les journaux de votre pays viennent de me l'apprendre. Ecoutez... "Au cours d'une perquisition opérée hier dans une villa occupée par des étrangers de nationalité syldave, la police a découvert un savant, M. Halambique, qui y vivait, séquestré dans une cave, depuis quelques semaines. Il a déclaré avoir été enlevé, la veille de son départ pour la Syldavie, et avoir été dépouillé de tous ses papiers dé-...

Tout s'explique, à présent... D'abord, les cris entendus au téléphone; ensuite, le professeur qui, brusquement, y voyait sans lunettes et ne fumait plus... Tout s'explique...

Pendant ce temps, au Quartier-Général de l'armée bordure...

..pour affirmer notre volonté de paix, et malgré l'attitude incompréhensible de la Syldavie, j'ai donné l'ordre à nos troupes de se retirer à vingt kilomètres de la frontière...

Le lendemain...

Le Roi a reçu ce matin en audience privée Messieurs Tintin, Dupont et Dupond, dont c'était la visite d'adieu. A l'issue de la réception, ces personnalités se rendront par la route au port de Douma, où elles s'embarqueront à bord de l'hydravion qui assure la liaison régulière Douma-Marseille...

KLOW P.T.T.
SZCHT-SILENCE

Quelques heures plus tard...

Six heures dix... Nous allons arriver...

! !

Mon Dieu! que se passe-t-il?...

Nous tombons à la mer!...

Imprimé en Belgique par Casterman Imprimerie s.a., Tournai.
Dépôt légal: 2000/0053/239.